작은 구멍

작은 구멍

박인애 시집

구름바다

차창에 비친 자화상

하늘과 집들과 내가 차창에 담겼다
어디론가 흘러가는 느낌
은하수처럼
구름처럼
바람처럼
한바퀴 드라이브를 마치고
주차장에 다시 돌아온 느낌
혹은 차를 타고 떠나려는 조짐

잠 못 이룬 새벽

내 작은 구멍들이 울어요

차
례

1부

이불을 털며

한겨울 일요일 대낮에
아파트 현관 밖으로 나가 이불을 턴다
당신은 저쪽에서 나는 이쪽에서
네 귀퉁이 이불귀 부여잡고 툭툭 털어낸다

접었다 펼친 이불 위에서 풀풀 날리는 먼지들
식구가 뒹굴며 만들어낸 보풀들
사랑의 흔적들
때때로 등 돌린 시간들
상처 부스러기들이 들썩이며 춤을 춘다

훨훨 날아간다

우리가 억겁의 시공을 거슬러 동시에
이불 속에 안착한 먼지 같다는 느낌
먼지와 먼지가 뒤엉켜 씨앗을 품었지만
언젠가 이불에서 떨어진 당신과 나의 살비듬이
저기 먼 우주를 떠돌다가

간지러운 봄 햇살에 다시 내려앉을
어느 원앙금침에서 또 한 번
반갑게 몸을 섞을 지도 몰라

한 이부자리에서 떨어진 먼지들은

깊고 고요한 살 냄새를 품었기에
우리가 바람을 타도 그리 멀리 가지는 않겠지

이불귀 잡은 양손이 발갛다
언 손 비비며 이불 속으로 폭 들어가
먼지 나게 까불고 싶은
한겨울 일요일 대낮에

바람개비 돌아간 사이

바람이 분다
주유소 하늘에 걸린 바람개비들
저희들끼리 빙글빙글 잘도 돌아간다
바람난 남자 따라 맞바람 난 여자처럼
알록달록 바람개비는
바람을 타는 것도
바람과 맞서는 것도
바람에 맞는 것도 같은데
바람을 즐기는 바람개비와
바람과 싸우는 바람개비와
바람에 얻어맞는 바람개비를
구경하는 틈에
바람 든 한 생이 돌아갔던가
바람결 따라 코끝에서 맡아지는 기름내가
남자의 질레트 향이나 여자의 샤넬 향처럼
냄새의 기억 틈새로 스며든 사이
올라가던 휘발유 계기판 숫자 멈추고
애인의 나른한 하품을 실은
배부른 자동차 바퀴가
주유소 바닥을 굴러 간다

바람개비는 돌고
바람 들린 수많은 생들 돌아간다

그런 날

노을은 지는데 어디로 가야 할지
무엇을 해야 할지
심장은 두근대는데
내 안에 유리 파편처럼 도사리는
욕망의 잔해들 쭈뼛쭈뼛 서는 날

누구라도 내 앞에 얼쩡거리는 자는 모조리
밟아주고 싶어 안달이 난 날

파편이 심장을 콕콕 찔러 욱신거리도록
상처 난 자리 덧나도록
더 깊숙이 박히도록 쑤셔대는 날

몸 속 어디서부터인가 열풍이 불어
내가 나를 확 덮칠 것만 같은 날

불똥이 어디로 튈지 몰라
어찌할 수 없는 날
활활 붉게 타오르는 날

담배꽁초 재떨이에 수북하도록
내가 나를 태워버린 날

노을 진 뒤 찾아든 잿빛 고요

움찔

소변을 보다 밑이 움찔한다

어제 밤 당신은 내 안에 들어오다 말았지
팽팽하던 그것이 몇 번 움찔대다 그만 주그러들었지

이제 나는 망했다
더 이상 안 선다며
바람 빠진 풍선처럼 쪼그라든 당신

풍선이 잠시 넣은 바람으로 부풀었던 밑이 덩달아 움찔했는데
빈속에 헛물켜듯 허기진 그곳
벌어진 채 다물 줄 모르는 입이 움찔한다

지난 밤 매화나무 가지들마다 움찔거리던 자리에
갓 피어난 꽃잎들도 꽃샘바람에 움찔한다

마누라 눈치 보며 살 수는 없다며
이대로 끝낼 수는 없다며
무언가 자극이 필요하다며
아무래도 바람을 펴야겠노라고 말하는 당신

마누라 하나 만족 못시키면서 무슨 바람이냐고
윽박지르자 금세 움찔하는 당신

기념일

오늘이 며칠이더라

신문 귀퉁이에 찍힌 날짜를 본다
하루살이에 놀란 고양이가 털을 세우듯
다시 그날의 오늘이 쭈뼛 곤두선다

바람이 나를 물어 허공으로 패대기쳤던 날
상처의 기념일처럼 하루를 맥없이 떠돈다
내 마음은 고양이가 찢어발긴 조간신문 한 부

그날은 이미 가버렸고
폐기된 신문에 묶여진 채 멀리 버려졌는데
오늘은 새날인데

조간신문 귀퉁이에 박힌 낯익은 날짜들
날 선 고양이 발톱에
다시 한 번 찢어지는 내 마음

*나는 마흔 살
옛날은 가는 게 아니고
이렇게 자꾸 오는 것인가

(*이문재 시, '소금창고'에서 인용)

바람난 고양이

바깥나들이 나가 비린 맛보고 돌아온 고양이
짝한테 된통 혼나고 쫓겨날 뻔한 뒤
베란다 나가 슬픈 눈동자 굴리며 먼 하늘만 쳐다 보다
야옹!

홍대 역에서 버스를 기다리는 동안
먹고 싶은 너 헤아리기
안 먹고 싶은 너 백십팔 명
먹고 싶은 너 십팔 명
짝의 미모와 몸매를 기준으로
그 보다 떨어지면 안 먹고 싶고
안 떨어지면 먹고 싶다

그래도 짝은 십 퍼센트 안에 든다
짝아, 자신감을 가져라
야옹!

야유와 비난

사랑하는 야유가 야, 유치하다고 말했다
나는 유치하지 않으려고 노력했다
그러자 철 든 어른처럼 무거워졌다

친애하는 비난이 나더러 쉽게 살지 말라고 했다
나는 쉽게 살지 않으려고 애를 썼다
그러자 철학자처럼 어려워졌다

이번에는 야유가 나더러 무겁게 살지 말라고 했다
나는 다시 유치해졌다

비난이 나더러 어렵게 살지 말라고 하자
나는 다시 쉬워졌다

야유와 비난이 나를 놀렸다
야유와 비난은 나와 놀고 싶었을까
야유와 비난을 조롱하며 나도 실컷 놀아줬다

이제 야유와 비난은 내가 좋은지
내 곁에서 떨어지지 않고 놀자 한다

나는 생의 무게와 깊이에 대한 셈 놀이를 하는 중이다

얼레리꼴레리 놀이

누구누구는 누구누구랑 연애한대요 연애한대요
얼레리꼴레리 얼레리꼴레리
누구누구가 누구누구를 좋아한대요 좋아한대요
누구누구랑 누구누구는 여자랑 남자래요
얼레리꼴레리 얼레리꼴레리
누구누구가 누구일까요?
누구누구는 누구누구가 얼레리꼴레리인 줄도 모른대요
누구누구를 누구누구라고 수군거리는
누구누구는 누구일까요?
누구누구는 누구누구를 좋아한대요 좋아한대요
누구누구랑 누구누구가 시샘한대요 시샘한대요
얼레리꼴레리 얼레리꼴레리 사실은요
누구누구랑 누구누구는 연애한 적 없대요
얼레리꼴레리 얼레리꼴레리
누구누구가 누구일까요?
누구누구랑 누구누구는 놀이하지요 놀아나지요

양파

더께처럼 자라온 날들을 본다
집에서 멀리 떠나려고
아주 멀리 가려고 세상을 돌고 돌아도
언제나 종착지는 처음 떠난 그 자리
마른 어미가 첫젖 물린 그 자리
한 바탕 울고 난 뒤에야
어미 품에 안겨 쪽쪽 빨 수 있었던 젖무덤

시골에서 부쳐준 양파를 본다
어미 손처럼 주름지고 못생긴 양파 껍질
마르고 말라
더 이상 마를 수 없을 만큼 마르고 말라
단단하고 둥근 것을 감싸고 있다
말라붙은 뿌리를 자른다
비명처럼 터져 나온 유즙 한 방울
젖비린내 물씬 난다
껍질을 벗겨내자 드러나는 하얀 속살
한 겹 잘라내어 입에 넣는다
입안에 매운 기가 감돈다

내 안의 마지막 눈물까지 짜내고 싶은 무언가 있어
지금 사무치게 그리운 이 있어
생 양파 한 겹 씹는다
마른 눈에 유즙 한 방울 맵게 맺힌다

활짝 핀 꽃

봄비가 여름비처럼 쏟아진 날, 지금 내가 떨고 있는 것은 내 것
아닌 욕망에 사로잡혀 있기 때문이다
비우자 다시 비워내자
꽃병에 꽂힌 찔레꽃 향기처럼 응축된 여운만큼 살아보자

손님을 치른 어제 밤, 명치가 막혀 매실 액 한 모금 마시고 합곡
혈을 눌렀다 혈을 누를 때마다 찔레 가시에 찍힌 듯 새끼손가락이
아프다

아직 체기가 남아 있다

나는 소화도 못 시키면서 온갖 잡것들을 구겨 넣었지 활짝 핀
꽃처럼 수런수런 말이 많아짐은 지는 것이다
비우자 다시 비워내자
하얀 꽃잎 한 장 허공에 날린다

그 방을 떠올리면

그 방을 떠올리면 눈물이 난다
남편이 돈에 팔려가 밤늦도록 안 들어오고
어린 아들이랑 둘이서 저녁 챙겨 먹고
그 방에서 놀다가 놀다가
졸려서 쓰러질 즈음
남편이 만취해 들어와
밤새 속이 아프다고 데굴데굴 구르다
잠이 들면 드르렁 드르렁 코를 골던 방
술 냄새, 코고는 소리, 마누라 잔소리로 가득 차버린 방

나는 겸손해지고 싶다
나를 힘들게 했던 그방에서
진정으로 머리 숙이고 싶다
너도 옳다 너도 옳다
모든 걸 인정해 주고 싶다

이 방을 떠올리면 눈물이 난다
남편이 돈에 팔려가 밤늦도록 안 들어오고
큰 애랑 둘째 애랑 셋이서 저녁 챙겨 먹고
이 방에서 놀다가 놀다가
기진맥진하여 쓰러질 즈음
나 혼자 소주 한 병 마시고 나면
술집에서 놀던 남편이 유령처럼 가만히 들어와
아무 말 없이 새우처럼 구부러져 잠이 드는 방
침묵으로 가득 차 버린 방

나는 살고 싶다
우리를 눈물 나게 만든 이 방에서
서로 등 돌리지 않고
외로운 등 쓸어주며 살고 싶다
그날이 오면 좋겠다

뇌

지독한 냄새가 나는 푹 썩은 거름 더미를 들추자

살이 통통하게 오른 지렁이들이 꿈틀거린다

마른 장마

올 듯 말 듯
좀처럼 오지 않는 비처럼

울 듯 말 듯
좀처럼 나오지 않는 눈물처럼

갈 듯 말 듯
좀처럼 가지 않는 바람처럼

오도가도 못 하고
저만치서 말라가는 꽃잎

똥 시

결국 나올 것은 나온다
잔뜩 막혀서 나올 똥 말 똥 하면서도
안 나올 때 변기에 앉아서 사르르 아픈 배를 한참
쥐어짜고 돌리다 보면 나온다 땀이 삘삘 나고
어지럼증이 일어
허공에 별들이 돌아다닐지라도
굵은 똥이 기어이 나오고야 만다
나는 변비 환자
간혹 고맙게도 묽은 똥이 나와 주기도 하지만
내 몸의 유전 인자가 된 똥을 만들어 낸다
변비는 내 몸의 증거물이다
나는 죽을 똥 살 똥 시를 싼다
온 몸에 힘을 주어
간절하게 절박하게 싼다
내가 씹어 삼킨 것들이 배설기관에 머물다
밖으로 나오는 순간,
모조리 냄새나는 시다

숨어 있는 당신

당신은 나를 발기하게 만든다 내 시선은 당신을 핥는다 당신
몸은 그리 깔끔하지도 세련되지도 젊지도 않다 나목처럼 바싹
마른 당신이 나를 끌어안는다 당신의 애무에 이끌려 당신 속살을
한 페이지씩 따라간다 무수한 고통과 참담의 시간들과 홀로
맞닥뜨렸을 이생의 결들이 당신 가슴에 나이테처럼 찍혀 있다
그것들과 입 맞추다 보면 나는 어느새 당신 가슴에 단단히 박힌
옹이를 쓰다듬고 있다

가슴 속에서 물오르는 소리 들린다 당신에게서는 오래 묵은
나무뿌리 냄새가 난다 뿌리가 품은 수액이 내 영혼을 적신다 이제
발기한 나는 차츰 맑아지는 물이 되어 당신에게로 스미어든다
나는 당신의 마른 가지 끝까지 타고 올라 연두 빛 싹으로 움터
오르려 한다

흔들리며 흘러온 시간

농막에서 내다보이는 길을 따라
트럭이 뿌연 먼지를 피우고 지나갔다
길가의 초록 풀들이 바람에 흔들렸다

흔들리는 것들은 흐르는 것들을 닮았다
흐르는 시간
흐르는 음악
흐르는 마음이 잠시
흔들리고 있는 것처럼 보인다

순간, 나는 저 먼지 풀풀 날리는 농로를 따라
오래 전 남자와 하염없이 흔들리며 걸었던
기억 속으로 스며들어 흘러간다

그 기억으로부터 한 서른 해 쯤 흘러와
지금 이 농막에
막걸리 한잔 걸치고 그와 누워 있다

그날 걸었던 남도의 시골 길이
파주의 한 농로로 이어진다
그날 남도의 길가에 피어 있던 개망초가
농로의 개망초로 이어진다

저 꽃도 여기까지 흘러와 정착했던가

흔들리는 시간은 멀리 흘러가다가
어느 순간 여기로 흘러온다

2부

껍데기여 오라

당신을 위하여 미용실에 간다 세 시간 동안 펌을 한다 시세이도 약으로 곱슬머리를 쫙 펴고 매직볼륨을 넣는다 당신을 위하여 화장을 한다 피부 보습 미백 주름 개선 기능성 화장품 위에 색조 화장을 칠한다 아이라인 따라 7밀리미터 자존심 눈썹과 윤기 나는 립스틱이 붙는다 당신을 위하여 보톡스를 맞고 마늘 백옥 주사를 맞는다 당신을 위하여 쌍꺼풀을 하고 코를 세우고 안면 윤곽 성형을 한다 당신을 위하여 다이어트 지방 흡입 수술한 S라인 몸매에 착 붙는 실크 란제리를 입는다 당신을 위하여 밥상을 차린다 두 시간 동안 장을 보고 두 시간 동안 재료를 다듬고 끓이고 볶고 지지고 굽는다

당신을 위하여 만들어낸 식탁에서 당신은 껍데기를 맛본다 당신을 위하여 침대에 눕는다 야릇한 조명 아래 당신을 위한 몸이 교태를 부리며 움직인다 당신이 보듬은 몸은 당신을 위하여 마련된 최고의 껍데기 껍데기를 얻기 위하여 날마다 당신은 껍데기가 되어 돈을 번다

껍데기의 가련한 몸짓이여
껍데기여 오라

몰래 카메라

둥근 달빛 아래
각진 방
각진 창
각진 모니터
모서리 양쪽 끝
여자와 남자가 담겨 있다

발가벗은 남자가 각진 의자에 앉아 비스듬히 모니터를 본다
모니터 속 침대에 누운 여자의 둥근 몸을 보고 있다
발가벗은 여자가 모니터 속에 들어 있다

모니터 바깥 침대에 누운 여자가 각을 세우고 일어나 앉는다
날 선 여자 눈빛이 모니터 속 여자에게로 꽂힌다
모니터 속 여자도 날 선 눈빛으로 모니터 바깥 여자를 쏘아본다
여자의 시선이 비스듬히 미끄러져 남자에게 꽂힌다
각진 의자에 앉은 남자가 둥글게 웃고 있다

둥근 웃음에 부서진 파편이 여자를 찌른다

둥근 여자 입에서 각진 비명이 튀어나온다

각진 창이 각진 방을 들여다 본다
둥근 달이 각진 창을 훔쳐 본다
푸른 달빛이 여자 동공으로 스며든다

죽은 나

지난 겨울 나는 죽었다 죽어버렸다
방바닥은 관처럼 아늑하였다

어릴 적에도 죽은 적이 있었다
수면제 먹고
방바닥에 나를 버렸다

죽은 내가 나를 버리고
방밖으로 빠져 나가는 내가 보였다

나는 죽은 뒤에도 추웠던가
어두운 골목을 지나 슈퍼에 들어가
번개탄을 사고 있었다

죽은 나는 며칠 동안 추운 걸 모른 채
아무런 감각이 없었다

나는 나를 걱정했던가
아궁이에 연탄불을 피워놓은 내가
죽은 내 몸으로 돌아와 잠이 들었다

지난 겨울 나는 죽었다 죽어버렸다
죽은 내가 밥을 해서 식구들을 살렸다

내가 흘린 것들

후미진 만화방에 들어갔지요 먼지 먹고 낡은 책들만 빼곡한
곳이었어요 갑자기 볼 일이 생겨 뒷문을 열고 화장실에 갔는데
변기에 허리띠가 흘러 들어가 똥이 묻었어요 그것을 세면대에서
씻어내고 있는데 그 곳 점원이 들어와 여기서 물을 쓰면 안 된대요
그러면서 옆방으로 나를 안내하고 가버렸어요 그런데 그곳에는
물이 안 나왔어요

거리로 나와 친구들과 돌아다녔어요 무지무지 더웠어요 좀
더 시원한 곳을 찾는다고 나 혼자 강가 쪽으로 갔지요 그런데
그 곳에서 내가 버린 종이들을 발견했어요 찢어버린 종이들,
독촉고지서들, 은행계좌번호와 숫자들이 적힌 흰 종이들이었어요
그것들이 강바람에 나부껴 강변 여기저기 흩어졌어요

나는 식은땀을 줄줄 흘렸어요

엄살

가슴에 젖 몽우리 부풀어 오르던 날
아이들끼리 장난삼아 툭 치고 도망가면
두 눈에 눈물이 핑그르르 감돌았네

엄살 피운다고 놀릴까봐
터지려는 울음 꾹꾹 참았네

엄살이라도 피웠다면 덜 아팠을 것을
아파도 아프지 않은 척
참고 참는 것만 배운 나
아파도 아픈 줄 모르는 바보였네

내 아이가 넘어져 우는 것을 본 날
생살을 찢는 것 같은 울음소리 듣는 순간
내 몸 안에 짓눌린 아픔들 팝콘 튀겨지듯
한꺼번에 터져 오르는 것만 같아

나도 몰래 아이 입을 틀어막았네
울지 마 울지 마
울면 안 돼 울면 바보야
두 눈 부라리며 잔뜩 겁을 주었네

내 속이 병든 줄도 몰랐네

상처는 언제 터지나

알려고 하지 마 다쳐
이 말을 잘 쓰는 남자가 있다

그 순간 고압전류가 아물지 않은 상처로 흘러들어
충전되는 소리 들리는 여자가 있다

뇌혈관을 관통하는 피가 달궈지는 순간
여자의 눈에 붉은 실핏줄이 선다

꺼져 있던 뇌 속 필라멘트에
번쩍 불이 들어오고
동그란 두개골이 환해지며
동공의 촉이 칼날 광선을 뿜어내
남자를 난도질한다

피투성이 되어 쓰러진 남자에게 여자가 말한다

건드리지 마 다쳐

거짓말

당신은 나에게 거짓말을 가르친다
무척 힘들다고 말해 버리면
별 것 아닌 것이 되고 만다

가슴에 꾹꾹 눌러놓은 사연들
퇴적암 지층처럼 쌓이고 쌓이면
단단한 돌이 되어 무늬를 만들어낸다
그것은 단단하면서 물렁하다
물렁하면서 물이다
돌이 무늬를 만들 때마다
한 뼘씩 깊어지는 물
허물
허무
무(無)

진정 나는 당신을 그리워하는가
내가 당신을 그리워 한다는 말은 거짓말

당신은 나에게 거짓말을 가르친다
별 것 아니라고 말해버리면
무척 힘든 것이 되고 만다

사랑니

"사랑니가 썩었네요 사랑니는 없어도 돼요 뽑아야지요"

두 시간 동안의 마취

생니를 뽑아냈는데도 모르는 동안

칼로 생살을 찢고 기계로 생니의 뿌리까지 뽑고

바늘로 생살을 꿰맸는데도 모르는 동안

아무 일 없었다는 듯 내 사랑니는 버려졌다

두 시간 후 마취는 풀리고

얼얼한 입술에 감각이 돌아오는 동안

어금니에 꽉 물었던 솜을 떼어내 보는 동안

핏물을 꿀꺽 삼키는 동안

여전히 핏물은 고이는 동안

아픔이 느껴지는 동안 진통제를 먹었다

사랑이 뽑힌 자리에 구멍 하나 뻥 뚫렸다

비릿한 피의 추억이여!

거대한 뿌리 뽑힌 날

나는 시인이랑 연애를 했다네 봄바람 맞으며 도서관에서 시인이랑
연애하는 동안 토끼는 토끼장을 갉아대고 거북이는 서랍 속에서
말라가고 아이들은 위험한 놀이를 했다네 그러는 사이 도시 위로
거대한 먹구름이 하늘을 뒤덮어 버렸네 세상이 잿빛으로 변하자
메뚜기 떼들이 우르르 밀려들었네 우리는 어디로 숨어야 할지
몰랐네 갑자기 폭우가 쏟아지고 멀리 바다에서 거대한 파도가
도시를 집어 삼키려 진군해 오고 놀란 사람들은 산으로 달렸네
그러는 사이 두두둑 실밥 터지듯 거대한 산이 뜯어지기 시작했네
땅이 갈라지고 길이 사라지고 도시 건물들이 폭삭 무너져 내렸네
사람들은 도시에 갇혔네 거대한 뿌리가 송두리째 뽑혀지는
순간이었네 바람 한 점 불지 않았네

안산 역

안산 역 광장에는 시계가 없었다
명한이는 반월공단 가는 출근버스에서 심장마비로 죽었다
폐품 줍는 창훈이는 설날 자취방에서 얼어 죽었다
군대 간 민수는 삶이 무겁다고 자살했다
시인 기섭이는 교통사고로 죽었다
현주는 애인을 빼앗기고 아파트에서 투신해 죽었다
사업에 실패해 집에서 쫓겨난 선배들은 객사했다
외국인노동자가 한국 여자를 살인했다
죽은 여자의 잘린 몸통과 팔이 안산 역 화장실에 버려졌다
지하철 4호선을 타고 온 나는 안산 역에서 실종됐다

길들여지지 않은 생

이제 그녀는 자신을 믿지 못한다
아무래도 이 생에서 프로가 되기는 글렀다고
나사 한 개를 잃어버렸다고
요실금처럼 난데없는 연민이 질금질금 새어나오고
헐거워진 그녀는 점점 헐거워져서
어느 순간 팔 한 개 톡 부러질지도 모른다고
심장 한 개 뚝 작동을 멈출지도 모른다고
일을 하면서 그녀는 점점 허술한 자신을 본다
느려지고 빠뜨리고 돌아서면 잊어버린다
겉으로는 멀쩡한데
누가 보더라도 아무 이상이 없는데
늙은 뱀처럼 그녀는 느낀다
응축된 독이 서서히 풀어지는 느낌
아무래도 이 생에서는 아마추어로 살다 가려나 보다고
더 이상 조일 수 없는 생이라고
고무줄 바지 입고
기저귀 찬 여자
이제 그녀는 실실 웃는다

이 생은 끝내 그녀 하나 길들이지 못해
저 홀로 뱅글뱅글 우주를 돈다

종말

초인종이 울린다 화상 통화 버튼을 꾹 누른다 화면 속에 말쑥한
차림의 여자가 서서 말한다 요즘 지구 종말의 징조가 곳곳에서
보이지요? 여자가 누구이고 어디에서 왜 왔는지 안 들어도 안다
죄송해요 지금 바빠서요 화상 종료 버튼을 꾹 누른다 여자가
화면에서 종말처럼 까맣게 사라진다

몸속으로 으스스한 떨림이 스민다 인간은 예언에 약하다
여자의 불길한 예언을 종료 버튼 하나로 물리쳤지만
조간신문을 뒤적이며 스쳤던 생각들, 이러다 지구가
진짜 망하는 거 아니야? 지구에 번지는 이상 징조들
화산폭발지진해일폭설폭우폭서한파해빙가뭄홍수 동물적 감각이
재앙으로부터 위협을 느끼는 지점에 방금 도달한 듯 심장 소리
바빠진다

궁지에 몰린 쥐처럼 숨을 곳을 찾아 집안 곳곳을 돌아다닌다
언제 올지 모르는 언젠가 올 것만 같은 아직은 오지 않은 올 날이
머지않은 그 날을 나도 모르게 기다리는 순간 살아야 할 이유가
종말이 되어 삶이 마비되려는 순간

신이 말씀한다 누구든지 나를 믿으면 천국에 갈 수 있나니 불안을
물리치는 데는 종교가 최고 나는 돌아온 탕아처럼 먼지 잔뜩 낀
십자고상 앞에 서서 성호를 긋는다 생이 재가동 되며 청소기 쌩쌩
돌아간다

이별전야

신촌 세브란스 병원 별관 217병동, 백혈병에 걸린 마흔 살
언니가 무의식 상태에 빠져 있다 일주일 째 의식을 찾지 못 한 채
무균실 침대에 누워 있는 그녀는 먼 별의 외계인 같아 말할 수도
들을 수도 볼 수도 없다 고통을 느낄 수 없다고 의사가 말했지만
고개를 좌우로 흔들거나 반쯤 뜬 눈이 잠시 가족과 마주칠 때면
살려달라고 구조요청을 띄우는 신호처럼 보인다

무균실은 우주선 같아 그녀는 지금 외계로 유체이탈 중이다 물집
투성이 입술에 난 상처가 점점 부풀어 오른다 혈액 속으로 노랗게
냉동된 혈장제가 투여된다 그녀를 붙잡는 인연들이 일곱 개의
링거 줄을 타고 저마다 살아야 할 이유를 새겨 넣듯 똑똑 떨어져
들어간다 혈압 120/78, 호흡 20, 맥박 90 모두 정상인데 간 기능
정지, 뇌출혈 상태다 왼쪽 눈꼬리에 한 점 눈물이 아기별처럼
아스라이 매달려 있다

오래된 상품

명동 L백화점 닥스 매장 미스 김이 손님 앞에서 실크 스카프
감촉처럼 부드럽게 웃고 있다 그 웃음 가만히 들여다보면
잔주름이 잡힌다 고기능성 화장품으로 메이크업한 얼굴인데도
눈가와 입가 주변에 패인 실금들을 감출 수 없다 십 수 년 째 고급
스카프를 만진 그녀의 손은 매끄럽게 움직인다 대충 들여다보면
손과 스카프를 구분할 수 없다 물건 파는 솜씨도 청산유수라
손님이 안 사고는 못 배긴다 쇼핑 나온 사람들 틈에 섞여 종일
바비 인형처럼 서 있다 시간이 흐를수록 고탄력 스타킹에 감춰진
그녀의 다리가 부풀어 오른다

매장에서 청춘을 다 보낸 그녀는 순정만화 속 왕자의 프러포즈를
기다렸던 그녀는 이제 중년 신사의 멋진 데이트 신청을 기다리는
중이다 손님들이 매장을 빠져나간 뒤 폐장을 기다리며 시간을
들여다본다 끼니 놓친 늦은 저녁에 불닭 안주와 시원한 생맥주를
상상하며 고인 침을 삼킨다 실크 스카프처럼 오래된 상품의
마지막 자존심 화사하게 웃으며 꽉 낀 유니폼 사이로 비집고 나온
똥배를 힘주어 집어넣는다

여름 해

여름 해는 온 몸을 달달 볶아 주체할 수 없는 열기로 활활 타올랐다

카페에서 언니가 S의 근황을 물었다 나는 그녀가 이혼할 것 같다고 말했다 언니는 쓸쓸한 표정을 지으며 아직 젊어서 그렇다고 말했다 젊음이 한풀 꺾여야 살아지지 늙으면 남편이 바람을 피우든 말든 기운이 달려 관심도 없어져 그냥 새끼들 안 굶을 만큼 돈만 벌어다 주면 그걸로 족하지

언니 목에는 스카프가 둘둘 말려 있었다
자궁암 수술을 받고 항암치료도 이겨낸 언니는
얼굴이 까만 언니는
웃고 있는 눈동자는
잘 여물어 고개 숙인 해바라기 씨앗 같아

여름 해는 아직 질겼다 창밖에 노란 해바라기 꽃잎들이 이글거리고 있었다 지려면 당당 멀었다 S는 아이를 두고 집을 나와 옥탑 방에 혼자 살고 있다 그녀의 기타소리가 말없이 익어가는 중이다

실업자

낡은 소파에 누운 그의 몸은 수족관에 갇힌 물고기처럼
흐늘거린다 매일 그는 지느러미를 세우고 TV리모컨에 탈출구를
묻는다 깜박이며 뒤바뀌는 수십 개의 채널들, 이 길 저 길 돌고
또 돌며 기웃거리는 사이 충혈 된 두 눈은 밤새 감기지 않는다 새
길 열리는 순간마다 그의 눈도 깜작거린다 싱싱했던 지난 반생의
비늘들이 푸른 바다 속을 헤엄치듯 너울거린다 당신의 능력을
보여주세요 세상은 저울대에 얄팍한 회사원 월급봉투 올려놓고
능력의 무게를 달았다 그는 카드빚이라도 내어 자신을 보여주마고
펀드 주식 선물 투자에 성공해서 폼 나게 한 번 살아보자고 홈쇼핑
건강식품 사먹고 겁도 없이 내달리다 신용불량 그물에 덥석 걸려
한물 간 생선으로 널브러져 있다 낚시채널에서 갓 잡아 올린 참돔
월척에 입맛을 쩝쩝 다신다 깜찍한 리모컨 버튼에 남은 반생의
길을 물으며 흐물흐물 밤새 물길 속을 헤맨다

어제를 기억하는 오늘

긴 겨울을 지내고 찾아온 친구와 동네 산에 올랐다 중턱에 놓인
평상에 앉아 헉헉대다 올해 들어 처음으로 봄 햇살을 맞이하였다
햇살 자락이 온몸으로 닿을 때 보드라운 기분에 푹 빠져들었다

봄은 겨울을 기억할까? 햇살 세례를 받고 산을 내려와 친구는
쭈구미 볶음 안주에 소주 반 병 낮술을 걸쳤다 친구는 도박 병에
빠진 남편과 헤어졌다 다섯 살 아이는 시부모가 키우고 있다
친구는 돈 벌이하느라 아이 키울 형편이 못 된다 주야 번갈아가며
직장에 다니기 때문이다

친구는 몇 년째 불면증이다 어느 날은 아침에 퇴근하고 오면서
운전 중 전화를 걸어왔다 친구야, 내가 왜 사는지 모르겠어 그냥
이대로 죽고 싶어 친구 전화를 받고 나면 화가 났다 봄은 겨울을
기억하는지 모르는지 갑자기 찾아든 햇살이 따가웠다

신물 난다

성당에서 미사 보는데 위액이 식도로 넘어온다 목구멍이 타들어가 침을 꼴깍 넘겨댄다 마른 영성체는 내 몸으로 쉬이 넘어가지 않는다

어릴 적 아버지한테 맞을까봐 며칠 동안 바깥에서 쫄쫄 굶고 다니다가 어느 골목 바닥에 노란 신물 게워내던 울 오빠 생각이 난다

미사 마치고 나오는 길에 집으로 가서 약을 먹을까 마트로 가서 장을 볼까 망설이다가 마트로 간다 하림 생닭이 두 마리에 오천 원한다는 정보를 들은 터라 아픈 목구멍 달래며 죽은 생닭 사러 먼 길 걸어 마트로 간다

한 노인의 죽음 - 2015, 겨울

고양 화정동 사거리 모퉁이 빌딩에는
요양병원이 넷, 정신병원이 하나
행복한 요양원
민들레 요양원
어울림 요양원
예승 실버타운
마음 병원
퇴근 길 그곳을 지나려는데 빌딩에서
한 노인이 툭 떨어졌다
그 뒤로
슬리퍼 한 짝 바닥에 떨어져 통통 튀었다

3부

작은 구멍

나 태어나던 날 작은 구멍 빠져 나오느라 아팠던가 봐요
나 마흔 살 생일에 눈, 코, 입, 목구멍 막느라 아팠습니다
한 밤중 어린 내가 방구석에 웅크리고 앉아 울어요

잠 못 이룬 새벽 내 작은 구멍들이 울어요

어린 내가 잃어버린 작은 구멍 속의 집
큰 내가 막으려는 작은 구멍 속의 집
그 집 식탁에 앉을 자리가 없어요

멀쩡한 의자마다 사람들이 앉아서 창밖을 보는데
구석지에 다리 한 개 부서진 의자 놓여 있어요
의자에 엉덩이만 걸치고 앉아 있는데
몇 해 전 목매달아 죽은 남자가 나에게로 다가왔어요

벽에 걸린 커다란 액자를 보라 했지요
그림 속에 소망이라는 문패가 달린 집이 보였어요
빨간 뾰족 지붕이 올려 진 대리석 건물이었어요
소망이라고 이름 지어진 그 집으로 들어가라고 했어요

죽은 남자와 내가 뾰족 지붕 다락방으로 올라갔어요
커다란 침대와 텔레비전만으로 꼭 찬 다락방에서
작은 창밖을 내다보았어요
잠든 도시의 불빛들이 멀리서 깜박거렸어요

밧줄로 작은 구멍 만들어 머리에 들이밀던 그 남자
침대에 누워 그 남자와 잠을 잤어요
내 작은 구멍 뚫고 죽은 남자가 들어왔어요
태어날 때 그도 작은 구멍 뚫고 나오느라 아팠겠지요

나 마흔 살 생일에 작은 구멍 막느라 아팠습니다

참을 수 없는 가려움

머릿속에서 구물구물 까만 가족이 기어다닌다 근질근질 가족이
머리통을 뜯어먹는다 따끔따끔 피를 빤다 저릿저릿 머릿속에서
가족이 식구를 불린다 하얀 새끼 가족들 꼬물꼬물 머리를 벅벅
긁어대는 나 참을 수 없는 가려움 모조리 잡아 죽이고 말겠어
촘촘한 참빗으로 머릿속을 샅샅이 훑어 내린다 신문지에 톡톡
떨어지는 가족들 통통하게 살찐 가족들 스멀스멀 활자들 위로
기어다닌다 뚝뚝 죽어가는 까만 가족들 붉은 피를 토해낸다
죽은피가 신문지에서 말라간다 그 사이 하얀 새끼 가족들 쑥쑥
자라나 꾸물꾸물 내 머릿속을 기어다닌다 참을 수 없는 가려움 싹
쓸어버리고 말겠어 싹둑싹둑 잘라낸다 빡빡 밀어낸다

아, 그새 또 자라난다

백 년 동안의 고독

그 여자 변기에 풍당풍당 작은 핏덩이들이 떨어진다
자세히 보니 그것들은 살아서 움직인다
손가락 한 마디쯤 되는 덩어리들은 거북이 알을 닮았다
붉은 바다거북은 모래 구덩이에 밤새도록
끈적한 알을 낳고 또 낳으며 눈물을 찔끔 흘렸다
하얀 알들을 깨고 나와
옴지락옴지락 바다로 향하는 새끼 거북들의 행진처럼
그 여자 변기 속에 떨어진 빨간 핏덩이들이
물에서 나와 엉금엉금 화장실 문 밖으로 나간다
작은 손과 발을 저으며 앙증맞은 몸으로
어디를 가는지
새끼 거북들이 바다로 들어가 물길을 내듯이
뒤 돌아볼 겨를조차 없이
어딘가에 길을 내러 간 사이
그 여자 변기 속으로 어미 바다거북이 들어와 앉아 있었다
딱딱하고 둥근 등딱지가 하도 커서 변기에 끼인 듯했다
어미 거북은 알을 낳을 때처럼
한참 동안 힘을 주더니
쩍 갈라진 등딱지가
마침내 변기를 빠져 나와
엉금엉금 화장실 문 밖으로 나갔다

태몽 – 쉬었다 갈게

도깨비 뿔 방망이처럼 생긴 진회색 새끼용이 자궁 속으로
들어가려 한다 갯벌에서 막 튀어나온 갑각류 껍데기 같은 용
비늘들이 꿈틀거린다 자궁이 용머리를 잡고 밖으로 밀어낸다
– 들어오지 마 들어오지 마 징그럽고 무섭고 아프단 말야
– 들어갈 거야 들어갈 거야 그 곳은 나의 보금자리 문을 열어 줘
용머리가 자궁 문을 뚫고 미끄러지듯 들어간다
자궁이 두 눈을 질끈 감는다
새끼용이 자궁에게 속삭인다
– 조금만 쉬었다 갈게 날 숨겨 줘

출산의 밤

어제 밤에 번쩍번쩍 번개치고 우르릉 우르릉 천둥쳤어요 나는
수술대에 누웠어요 천장에 거울이 달려 있었어요 마취가 잘
안 됐나 봐요 통증은 없는데 수술 장면이 다 보였어요 의사가
매스로 배를 갈랐어요 배꼽 아래 가로로 이십 센티미터 가량
금을 치듯 칼을 그었어요 간호사들이 핏물 고인 선을 벌렸어요
수술 장갑 낀 손이 뱃속에 들어가 핏덩이 아기를 빼냈어요 고추
달린 사내애였어요 아기는 간호사에게 맡겨졌어요 두 손이
다시 뱃속으로 들어갔어요 핏덩이 아기를 하나 더 꺼냈어요
계집애였어요 아기가 파랗게 죽어 있었어요 찰랑거리는 금속들이
일제히 소리를 잃은 듯 하얀 고요가 찾아들었어요 나는 검정
비닐봉지 속에 담긴 알몸뚱이 닭 한 마리였어요 천둥 번개 치던
어제 밤에

망상

친정 된장독에서 꿈틀대던 하얀 구더기
발코니에서 안방까지 기어 다니던 구더기
햇빛 받아 좀 더 익힌다고
뚜껑 벌여 둔 독에 구더기가 생겼다

구더기가 아버지 머릿속을 점령했다
아버지 망상으로 입원하던 날
새벽 잠결 타고
아버지가 꿈속에 나타났다

이야기 좀 하자고
네 어미가 어떤 여자인지
내 말 좀 들어 보라고

아버지 머릿속에는
통통한 구더기가 구물구물 기어다녔다

친정 구더기가 어느새 우리 집에도 들어와 있었다
엄마한테 얻어온 된장에서 구더기가 나왔다
그 된장을 먹으며 여태껏 살아온 우리 가족

지난 새벽 출장 다녀온 남편의 옷자락에 묻어 온
긴 머리카락 한 올

어느덧 내 머릿속에도
긴 머리카락이 구물구물 기어다닌다

내 안의 벽

자궁에 염증이 생겼을 때
의사는 항생제 주사와 약을 처방했다

엉덩이에 주사액이 침투하자
엉덩방아 찧은 것처럼 알알했다

병균은 자궁벽을 뚫고
페니실린 주사액은 엉덩이를 뚫고
항생제는 몸속으로 스며들었다

내 안의 곪은 상처로
내 몸이 터질 듯 부풀어 오르고
하얀 꽃잎 같은 약물이 팬티에 묻어났다

내 안에서 나를 공격하는 내면의 상처들
분분한 꽃가루로 날렸다
알레르기처럼 가려웠다

욕조 놀이

여자가 욕조에 천연 미네랄 소금을 녹인다 거뭇한 염장 다시마와
미역 줄기를 물속에 담그자 서서히 파릇해진다 다시마 한 가닥이
말랑한 배를 간지럽힌다 거웃이 해초처럼 너울거린다 미역귀가
샅에 닿는 순간 몸속으로 아릿하게 번지는 통증! 욕조는 여자의
수술대가 된다   태아가 숨을 쉬지 않네요 심장이 멈췄어요
스트레스를 많이 받았나요? 샤워기에서 링거액이 똑똑 떨어진다
마취약이 몸 안으로 번지듯 욕실에 수증기가 부옇게 번진다
여자가 숨을 막고 알싸한 수면 속으로 가라앉는다 질끈 감은 눈
속으로 검붉은 핏물이 번진다 다급해진 숨이 수면 위로 떠오른다
젖은 머리카락에서 소금물이 뚝뚝 떨어진다 수술은 끝났습니다
어지러우니 링거액 다 맞고 가세요 여자는 탯줄을 끊듯 욕조
물마개를 힘껏 잡아당긴다 물 빠진 자리에 숨죽은 다시마와 미역
줄기 납작 엎드려 있다

치킨가스에 갇힌 사랑

어린 시절 학교 앞에서 사온 노란 병아리 품에 두고 키웠지요
이름은 노랑이었어요 따습고 보송보송한 털의 감촉 가늘게 떨리는
맥박 씨앗 같은 두 눈을 내 마음 속에 심어두었지요 쑥쑥 자란
병아리 하얀 닭이 되었지요

학교 다녀 온 날 집에서 기름 냄새가 진동했지요 아버지가 흐뭇한
웃음지으며 상을 차려 주었지요 상에 오른 메뉴는 치킨가스였어요
노르스름하게 튀겨진 치킨가스에 빨간 케첩이 핏줄처럼
뿌려졌지요

아버지는 나이프로 치킨가스를 잘라 포크로 콕 찍어 내게
내밀었어요 순간, 알 수 없는 슬픔이 나를 덮쳐와 닭똥 같은
눈물을 떨구었어요 아버지는 버럭 화를 내었지요 그깟 것 다시
사서 키우면 되는데 왜 울어 아버지는 내 입을 강제로 벌려서
꾸역꾸역 삼키게 했어요 나는 삼키지 못하고 토해냈어요 목구멍이
찢어질 듯 아팠어요

나는 밤마다 오들오들 떨며 내 사랑 노랑이를 찾아 헤맸어요
씨앗 같은 눈망울이 나를 들여다보고 있어요 병아리 울음소리가
들려요 나는 노랑 빛깔만 보면 가슴 밑바닥에서 간지러운 노랑이
깃털처럼 번져요 치킨가스에 갇힌 내 사랑 노랑이

은갈치

반짝이는 것에는 눈물이 담겨 있다

어릴 적 오빠는 상에 오른 은갈치를 못 먹었다
은갈치는 죽은 사람의 살을 맨 먼저 뜯어먹는다는 말을
들은 뒤부터 은갈치를 두려워했다

어제 이웃이 나눠준 제주 은갈치를 토막 내 굵은 소금을 뿌려
구웠다
세상에 다시없을 부드러움과 달콤한 살맛이 입안에서 은은히 녹아
사라진다

바다 속에 들어가 나오지 못한 사람들은 어디에 있을까

은갈치 밥이 되어
살이 되어
어부의 손에 잡혀 와
내 살이 되는 걸까

은갈치 살에서 슬픈 눈물 맛이 난다

21세기 고려장

병든 아버지 버리러 요양병원에 갔지요
한 방에 가득 차 우글거리는 아버지들
다른 방에 가득 차 곰실거리는 어머니들

아버지의 아버지가 아들 등에 실려가
산 속에 버려지듯
버려진 아버지들이 한 방 가득 누워 있네요

생각해 보면 우리는
생겨나면서부터 어딘가로 버려졌지요
아버지가 어머니 자궁 속에 버린 정액
어머니가 자궁 밖으로 버린 태아
유아시설로 학교로 일터로 병원으로 요양원으로 무덤으로

아버지의 아버지가 아버지를 버리듯
어머니의 어머니가 어머니를 버리듯
우리는 세상에 버림받은 존재라지요

쓰레기통이 꽉 차면 비워지듯
쓰레기통마저 고장나면 버리듯
21세기 고려장은 고물을 버리는 데에도
돈이 든다지요
한 달에 백만 원만 내면
병든 아버지를 버릴 수 있다지요

그러니 당신을 버린 것에 너무 슬퍼 말아요
이제 그만 참담한 눈빛을 거두어요

얼음 땡 놀이

며칠 전 사고 난 자리에서 아이들이 뛰어 논다 그 자리 주변에 노란 플래카드가 길게 걸려 있다 뺑소니 사고 목격자를 찾습니다 초등학교 1학년 남자아이는 사망했다 아파트 발코니에서 빨래를 널며 그곳을 바라본다 그 날 오후 3시 무렵 아파트는 얼음 땡 놀이에 푹 빠졌다 관리사무소와 시립 어린이집 앞 도로와 건너편 놀이터 주변 아파트들이 꽁꽁 얼어버린 순간, 땡을 해줄 동무가 사라졌다 그 자리에 아이의 빨간 심장이 두근두근 박혀 있었다 뜨거운 심장이 얼음으로 점점 차가워졌다 참을 수 없는 심장이 '땡'을 외쳤다 그러자 아파트 주변이 갑자기 소란스러워졌다 놀이는 끝났다 관리 사무소 직원이 식은 심장 위로 누런 모래를 뿌렸다 아이들이 심장을 밟으며 논다 잠시 후 빨간 차가 심장을 밟고 달려간다

호주머니

아이 호주머니를 더듬자
뭉툭하게 잡히는 무엇
뱀허물처럼 벗어둔 바지 속에 감춰진 것

뭘까?
가만히 만지작거리며 상상하는 시간
바람이 휙 불어와 커튼을 춤추게 하는 시간
새소리가 들리는 시간
두근거리는 시간

아이가 담아온 세상은
작은 돌멩이, 모래 묻은 양말, 사탕 봉지, 껌 종이, 구슬, 동전
아무데다 그냥 버리지 못하고 소중히 품은 것들
때로는 실컷 구겨진 종이 한 장 못 보고
세탁기에 돌렸다가 빨래는 엉망이 되기도 하였다

참을 수 없어
호주머니에 손을 넣고 꺼내든다
작은 돌고래 물총
빨간 버튼을 누르면
고래 등으로 물줄기가 힘차게 뿜어진다

아이가 몰고 온 돌고래 한 마리
우리 집에 담겼다

너 가던 날

(故 신기섭 시인을 그리며)

너 가던 날
밤에 벗들이 모여들었다
누군가 흰 복도 벽을 맨주먹으로 치며
이건 아니라며 울었다

네 사진 앞에 앉은 나
이모할머니로부터 네 이야기 들었다
철부지 어린 부모 널 낳고 보름 만에 달아난 뒤
너는 베지밀 먹고 자랐다는 말
할머니를 엄마라 불렀다는 말 들었다
너 가던 날 밤은 젖빛처럼 하얬다가
문득 들여다 본 작은 창밖으로
스며든 새벽빛이 깊게 파랬다
왜 새벽이 푸른지
너에게 근사한 답을 듣고 싶어
창밖을 한참 들여다보았다
너는 그림 보는 법을 내게 알려주었지
울림이 없는 그림은 그림이 아니에요
너는 분명 유쾌한 답을 떠올리며
그건요
그건 말이에요
....
뭐라고?

......
너의 유쾌한 답을 듣지 못해 자주 귀가 가려웠다

나 아플 때
너 푸른 새벽 꿈결로 스며들어 나를 찾아왔지
커다란 영정사진 속 너에게 다가가려는데
너 사진을 돌려놓았지
사진 되돌려달라고 다가가 말하는 내게
오지 말라고
내 앞에서 등을 돌리며
사라지는 것이었다

너 가던 날
매몰차게 푸른 새벽으로 내게 온 날
깨어나 보니 꿈결인 듯
젖먹이 어린애가 울고 있었다

밤꽃

아들 방에서 밤꽃 냄새가 난다
언제부턴지 모르게
제 방에 콕 박힌 까칠한 밤송이
깜깜한 방 안 책상 앞에 앉아
밤새워 모니터 불빛만 바라본다

간밤에 비바람이 몰아쳤는지
욕실로 빠져나간 아들 방바닥에
시든 밤꽃 같은 머리카락들 수북하다

제 방에만 콕 박혀 밤이 된 아들
살짝 벌어진 방문 틈으로
새어나오는 흰 속살 같은 불빛
비린 밤꽃 향내
여무는 밤

마흔 아홉 살 칠월의 생리

폭염경보 재난문자 내린 날
변기에 쏟아지는 붉은 생리혈

가만히 있는데
이마에 맺히는 식은 땀
미식거림과 어지럼증으로
묵지근한 칠월 대낮

폭염 아래
묵묵히
치러지는
중년의 달거리

입안에서 쇠비린내 감돈다
얼마나 남았을까

울 엄마

늙은 엄마가 사는 집에 모여든 젊은 딸들은
엄마 흉을 잔뜩 본다
더럽고 지저분한 살림을 보며
어쩌면 이토록 빨리 더럽힐 수 있는지
신기하다면서 묵은 때를 닦아낸다
시커먼 프라이팬, 이 빠진 접시들, 헌 옷가지들
버리려고 하자
엄마 죽고 나면 버리라며
한사코 고물들을 싸안는다

나도 늙으면 저리 될까?
아닐 거라 도리질치지만
엄마 딸이니 장담할 수가 없다
엄마처럼 될까봐 겁이 나서
엄마를 잡는다
냄비를 이렇게 태우면 어떡해
엄마 제발 정신 좀 차려요

평생 살림만 한 엄마
살림이 지겨운 엄마
놀러 갈 때만 반짝거리는 엄마
새 옷을 입을 때만 환하게 웃는 엄마

울 엄마는 한평생 집에 없었다

엄마가 아프다

감기가 폐렴으로 번졌다
가슴뼈 아래 낀 하얀 염증
치밀어 오르는 기침
입원한 엄마

노란 오줌에 절여진 옷을 빤다
지독한 냄새
소금이 나올 것만 같은 엄마

엄마를 만날 때마다
하얀 슬픔이 찾아오고
엄지손톱만큼 키가 줄었다
내 마음은 청동빛 녹이 슬었다

아소

바람 자는 날에만 오를 수 있다는
아소 산 정상에 올라
함몰된 내면 깊숙이 고인 청겨자 빛 용암 보았지

분출하던 열정 사원 뒤
시리도록 뜨거운 물로 고여 있었지

고인 생은 모조리 독이 되어
매운 연기와 한 다발 구름으로 피어오르는데

가까이 다가갈 수 없는
화구의 고독 끝자락에
고여 있다 말라가는 눈물 가루들

4부

어딘가에서

세상이 아직 불행한 이유는
어딘가에서
숨죽여 우는 사람이 있기 때문이다
말 못할 사연들
말해도 어딘가로 닿지 않는 사연들
구름만이 잠시 사람의 창가에 머물러
귀 기울이다가 흩어지고 만다

세상이 아직 불행한 이유는
어딘가에서
시름시름 아파하는 사람이 있기 때문이다
등 돌린 사연들
들으려 해도 들리지 않는 사연들
노을만이 잠시 사람의 창가에 머물러
등 토닥이다가 흩어지고 만다

허무한 남자

한 남자가 또 죽었답니다
강원도 인제 남면의 허름한 여관방에서 홀로 객사한 남자
가족으로부터 버림받은 남자
숨죽여 울었을 남자
무덤도 없이
죽은 지 하루 만에 화장당하여 세상에 먼지로 남은 남자
바람에 실려 떠도는 영혼이 된 남자
허무한 남자
가난한 우리 가족을 사랑해 주었던 남자
정작 그가 힘들었을 때 우리가 돕지 못했던 남자
남은 반평생 동안 빚으로 가슴에 남을 남자
J선배
지켜주지 못해 미안합니다

옛 동지의 묘

마석 모란공원 민주열사 묘역에 다녀왔어요 남편 친구 헌정 씨 묘에 참배 갔다가 그곳에서 우연히 발견한 옛 동지의 묘, 지난 93년 전해투 농성장에서 한솥밥 먹고 지냈던 그 동지, 눈길이 깊었고 낮은 목소리에도 강단진 힘이 배어있던 그 분, 아침마다 요가를 가르쳐 주셨던 분, 투쟁의 와중에 남몰래 남편과 나의 앞날을 위해 축복을 보태주셨던 분, 그해 가을 농성장을 빠져나온 후로 한 번도 못 만났지요 잘 지내는지 늘 그리웠던 분, 오늘 묘에서 만나게 되었네요 마음 따뜻한 분 남편 친구 헌정 씨 묘 바로 옆에 누워 있는 분, 노동자 권리 지키려고 학교 그만두고 현장 투신해 노동자로 살다가 중년에 가족들 남겨두고 노동운동 열사로 묻히신 분들, 이제는 편히 쉬소서 묘가 이웃이니 저승길 친분도 더 좋으시리라 봄 햇살 듬뿍 받고 나란히 누워 있는 옛 동지의 묘

눈물 자국

그날 아침
현관문 열고 들어선
아들 얼굴에 어린 슬픔 자국을 떠올리면
숨이 콱 막힌다
경주 마리나 리조트로 신입생 환영회 갔다가
참사당한 친구
장례를 치르고 돌아온
아들 얼굴에 얼룩진 눈물 자국은
친구가 왜 죽어야 했는지
묻고 있었다
아직 마르지 않은 눈물이 송곳날처럼 스며
엄마 심장을 찔렀다

나무의 눈빛 - 박수근의 그림

어린 나를 등에 업은 언니는
동구 밖 느티나무 아래에서 서성였다
큰 함지박 머리에 이고 김밥 팔러 가시는
엄마 뒷모습 나무에서 멀어질 때
언니는 무심히 하늘 한 번 들여다 봤다
일제히 하늘로 치솟은 나뭇가지 끝에
언니 눈길이 머물렀다

벌거벗은 나뭇가지들 위로
쌀밥 같은 눈발이 소복이 쌓였다
언 땅에 뿌리박힌 언니는
나무를 오래 끌어안았다
언니 등에 업힌 동생들 자라나
객지로 떠난 뒤에도
나무 끝을 맴돌던 언니의 눈빛

목련

내 핏속에는 슬픔의 전류가 일만 볼트 흐른다
그리하여 내 몸은 환하게 웃고 있다

판도라의 상자

영하 십도의 강추위가 서울을 점령한 밤

시청 광장 촛불은 꺼지고
프레스 센터는 송년회로 일찌감치 마감하고
비어하우스에서 죽은 시인의 제사를 지낸 날
지하도에 배달된 누런 골판지 상자들의 행렬
틈으로
새어나오는 숨소리와 입김들
두근대는 심장들
상자마다 하나씩 걸려 있다
심장이 내보낸 더운 피가
몸속을 돌아
지하도 바닥을 돌아

서울은 밤새도록 얼지 않았다

공동묘지

둥글둥글 살다 온 둥글 씨, 꼬불꼬불 살다 온 꼬불 씨, 뾰족뾰족
살다 온 뾰족 씨, 아슬아슬 살다 온 아슬 씨, 살살살살 살다 온
살살 씨, 슬슬슬슬 살다 온 슬슬 씨, 털털털털 살다 온 털털 씨,
가뿐가뿐 살다 온 가뿐 씨, 거뜬거뜬 살다 온 거뜬 씨, 글썽글썽
살다 온 글썽 씨, 끔찍끔찍 살다 온 끔찍 씨, 달근달근 살다 온
달근 씨, 말똥말똥 살다 온 말똥 씨, 몽글몽글 살다 온 몽글 씨,
어리벙벙 살다 온 어벙 씨, 껄렁껄렁 살다 온 껄렁 씨, 번들번들
살다 온 번들 씨, 우락부락 살다 온 락 씨, 요탓조탓 살다 온 탓
씨, 암니옴니 살다 온 니 씨, 시시콜콜 살다 온 콜 씨, 그냥저냥
살다 온 냥 씨, 알콩달콩 살다 온 콩 씨, 오순도순 살다 온 순 씨,
재잘재잘 살다 온 재잘 씨, 하늘하늘 살다 온 하늘 씨, 산들산들
살다 온 산들 씨, 건듯건듯 살다 온 건듯 씨, 듬뿍듬뿍 살다 온
듬뿍 씨, 고래고래 살다 온 고래 씨, 아웅다웅 살다 온 웅 씨,
고이고이 살다 온 고이 씨, 시나브로 살다 온 씨앗들 옹기종기
모여들어 한 세상 내력을 흙속에 풀어내니 가지가지 뿌리들,
꿈틀꿈틀 벌레들, 살다 온 이야기 맛나게 품어준다

코끼리 쇼

한겨울 제주도 코끼리랜드에서 쇼를 한다 코끼리들이 나와서
재롱을 부린다 관객석으로 와서 코를 내민다 바나나를 주니 코로
받아먹고 돈을 주니 코로 받는다 엄마 코끼리 눈이 빨갛다 그
눈에 눈물이 고여 있다 코끼리들이 다음 쇼를 준비하러 들어가는
사이 엄마 코끼리가 앞발을 치켜들고 화를 낸다 코끼리 등에 탄
조련사가 진정을 시키지 못하고 등에서 내려온다 코끼리가 똥을
싼다 코끼리 입에서 허연 입김이 새어나온다 조련사가 뒤로 주춤
물러선다 코끼리가 떨고 있다 조련사들이 달려 나온다 코끼리를
달래 데리고 들어간다 하늘에서 눈발 날린다
이건 쇼가 아닌데 쇼란다

다시 쇼를 한다 무대에 나온 아기 코끼리가 쓰러졌다 조련사가
일어나래도 꿈쩍도 않는다 정적이 흐른다 진행자가 다급한
목소리로 수의사를 부른다 사이렌이 울리고 잠시 후 나타난
코끼리 수의사가 주사를 놓는다 엄마 코끼리가 나와 아기 코끼리
얼굴을 코로 만진다 그래도 깨어나지 않는다 진행자가 관객들에게
박수를 치라고 한다 관객들은 손바닥이 아프도록 박수를 친다
그러자 아기 코끼리가 눈을 뜨고 일어선다 내 눈에서 눈물이
흐른다
이건 쇼인데 쇼가 아니다

한겨울 코끼리랜드에서 쇼를 한다

겨울 잔치

아파트 숲 중심상가 한 가운데에서 겨울마다 잔치가 벌어졌다
할머니들 손에는 초대장 같은 쿠폰이 들려 있었다 할머니들은
마법에 홀린 듯 겨우내 칼바람과 눈보라를 헤치고 숲속 길
중심상가로 사라졌다가 우르르 빠져 나올 때는 양손에 선물을
주렁주렁 달고 왔다 한 손에는 공짜로 얻은 두부 콩나물
고등어자반 담긴 검은 비닐봉지 다른 한 손에는 비싼 화장품
염색약 건강보조식품 담긴 종이가방 할머니들 손에 들린 선물
세트는 겨울이 깊어질수록 작은 것에서 점점 큰 것들로 바뀌었다
들고 올 수 없는 큰 의료기기가 아파트에 배달되는 날이면 자식들
목소리가 높아졌다 다시는 안 가겠노라고 다짐을 해 놓고 다음
날이면 언제 그랬냐는 듯 새색시처럼 꽃단장하고 요리조리 눈치
살피며 잔치에 갔다

붙박이장 같던 할머니들이 자식 등지고 손주 등지고 숲속 길
중심상가로 쏙 들어갔다 나오면 지갑이 탈탈 털렸다 자식들
용돈이 끊기고 쿠폰도 동이 날 무렵 겨울은 잔치를 데리고 아파트
숲을 홀연히 빠져 나갔다 할머니들은 겨우내 잔치로 설레었다
젊은 총각들이 무대에 나와 노래하고 쇼를 하며 재롱을 피우는데
어찌나 재미진지 하루라도 안 보면 병이 날 것만 같았다 농사 진
돈 탈탈 털어 나가 겨우내 노름방에 들어앉아 다 잃고 나서야 집에
기어들어 온 영감 속이 헤아려질 지경이었다

엄마 손

초록 나뭇잎들 사이로 갈색 나뭇잎 몇 장
나뭇가지에 더부살이처럼 매달려 있다
떨어질 수 없는 사연을 품은 듯
못다 이룬 약속이 남아 있다는 듯
아직 생이 끝나지 않았다는 듯

나무가 초록을 거두어 버린 뒤에도
빛바래고 매듭진 손가락으로 겨우내
그대로 마른 갈색 나뭇잎 몇 장
이듬해 봄 가지에 새순이 돋은 뒤에도
시위하듯
떠날 수 없는 생에 대한 예의

초록 나뭇잎들 사이로 갈색 나뭇잎 위에
장맛비 내리는데 언제부턴지
잠자리 두 마리 앉아 있다

추석 연휴 지나고도 동네 어귀에 앉아
자식들 기다리신다는 엄마 손에 들린 보따리

아파트 옆 찻길

창가에 선 여자의 두 귀로
시속 팔십 킬로미터로 쉴 새 없이 몰려드는 파도소리
먼 바다로 나간 어선들
귀가하는 어선들로 물길은 복작인다
검은 물살 가르고 하얀 거품 내뿜는
고깃배 속에 들어찬 촘촘한 그물들

이 길은 생을 잇는 자들로 부산한 항로
불 밝힌 창가에 서서
고동치는 파도의 심장소리 듣는다
막 항구에 들어선 배의 엔진에서 뜨거운 김이 피어오른다
뱃전으로 가서 가장 신나게 펄떡이는
물고기 한 마리 집어든다

시인의 밤

당신의 두개골에 빨대를 꽂고

뇌수를 쪽쪽 빨아대고 싶다

세포 속의 핵까지 빨고 나면

당신의 두개골 속은

텅 빈 우주로 탄생하겠지

나는 태초의 별 하나를 만들어

당신의 두개골에 심어두리라

생명의 물이 차오를 때

별은 빛나리라

물에 비친 별을 보며

당신은 그 빛만을 사랑하리라

그리움의 깊이

너를 가질 수 없어
너를 보면 설레었던가
푸른 바다여
흰 물거품이여
멀리 나간 고깃배에 실려 온 오징어
물회 한 대접 주린 배에 담고
동해에서
파주로 돌아오는 길
너와 멀어질수록 더욱
푸르게 출렁이는
그리움의 깊이

엉겅퀴

보랏빛 엉겅퀴 꽃잎이 슬픔을 말리며
하얀 홀씨들로 변하는 것을 보았다

엄마는 사는 게 징글징글하다며 한숨 내쉬었다

너희는 엄마처럼 살지 마라

바람이 불자 홀씨들이 사방으로 번졌다
마른 엄마가 출산한 씨앗들의 가뿐한 비행

나는 엄마처럼 안 살 거야

내가 죽을 때 후회할 순간

참을성이 많은 성격으로 인해
상대방을 배려하는 마음으로 인해
정작 내 마음은 썩어가면서도
차마 말 못하고 지나가는 경우가 많았다
내가 죽을 때 후회할 상황이라면
참지 말자
배려하지 말자
내 마음은 괜찮지 않다고 표현하자
설혹 상대가 불편할지라도
그로 인해 내 마음이 괴롭더라도
갈등을 두려워 말자
내가 죽을 때 후회할 순간이
오늘 닥친다면
단호하게 말하자
내 마음이 아프다고

목포 역

밤새 미친 여자가 베개를 안고
안개처럼 떠돌고
주정뱅이 남자가 맨바닥에 드러누워
한뎃잠을 자도
아침이면 야쿠르트 아줌마들
목포 역 광장 가로지르며
건강한 웃음 실어나른다

엄마, 나여
어딘가에서 들려오는 정겨운 사투리는
세상 풍파로 곤두선 마음
한소끔 뒤흔들어놓는다

더 이상 물러날 곳 없고
앞으로 나아가야 할 곳만 많은
목포 역에 서면
어디로든
어서 떠나라 재촉하듯
비린 바람이 불어오고
근원을 알 수 없는
감정들 돋아나
마음은 징하게 가려웠다

추모시 1

우리 노동자의 꺼지지 않는 꽃 등불
- 故 김명한 동지를 보내며

그대,
보고 싶다
우리는 그대를 보낼 수 없다
지하 사무실에서 그대를 처음 만난 날
혀가 짧아 말은 더듬으면서도
두 눈빛은 푸르게 살아있어
우리 마음을 날카롭게 찔렀다
그 때 첫 눈에 명한이는 틀림없는 놈
끝까지 함께 갈 동지
진국이라고 믿어버렸지
그대는 노동조합을 만들겠다고 말했지
노동자 당을 만들겠노라고 말했지
그렇게 십 수 년을 한 자리에서
우직하게 꽁꽁 박혀 있으며
우리에게 쉼 없이 말을 했지
때로는 그대의 말이 무엇인지 몰라
답답해 한 적도 있었다
그러나 그대는
"내 말 좀 들어봐요."
외쳤다
투쟁하지 않는 조직은 조직이 아니라고
노동조합이 가진 놈들의 손에 와해되고
조직이 저들의 폭력만행에 짓밟혔을 때에도
그대는 울지 않았다
죽을 때까지 자본가와 맞서 싸우겠노라고
숱한 밤을 지새우며 고민하였다

자본가 세상이 진실을 외면하고 정의를 버렸으니
우리가 잘난 놈들의 세상을 바꾸자고
노동자가 주인 되는 세상으로
한 번 바꿔보자고

그대가 신흥 노동조합 사무국장 후보로 출마하던 때
불쑥 증명사진을 내밀고
씩– 웃으며 물었지
"자알 나왔지요?"
그 사진에서 그대는 이미
늠름한 노동조합 사무국장이었다
선배들을 조르면서 유세문을 봐 달라
연설을 들어 주라
과거의 선거 경험을 말해 달라
한 자락이라도 놓치면 질세라
밥 사가며 술 사가며 경청했고
그렇게 8년 수고 헛되지 않아
마침내 자랑스러운 노동조합 사무국장 되었을 때
기뻐하던 그 얼굴이
사라지지 않아
우리는 그대를 보낼 수 없다

노동운동의 산 증인 그대
아직 우리 세상이 오지 않았다
다수의 노동형제들이 굴욕의 삶을 살고 있다
일어나라
일어나서 오너라
"우리 한 번 해 봅시다. 됩니다. 돼요."
모두들 지쳐 있을 때에도 홀로 투사가 되어
지친 노동형제들
정신 번쩍 나게 만들었던 명한이
아직은 아니다

그대가 노조 일을 하면서 숱하게 고민하고
가슴 아파했을 나날이 그려진다
그래도 힘이 들면 마주잡은 그대의 손은
그대 마음처럼 언제나 넓고 따뜻했다
얼마나 가슴이 아팠나?
출근 길 버스에서 저승길로 이어놓은
못 다한 그대 투쟁의 길
노동조합 일도 봐야 하고
노동자 당도 만들어야 하고
장가도 가야 하는데

그래, 명한이!
그대는 지금 우리 가슴에 낙인처럼 생생히 박혔다
그대는 죽어도 결코 죽지 않는다
우리가 그대를 기억하마
여기,
노동운동에 목숨 걸고 영혼마저 불사른
한 젊은 전사가 살았노라고
그 이름 김 명한
안산 신흥 노동조합 사무국장
진보정치연합 회원
민주노동당 당원
우리는 결코 그대를 보내지 못한다
그대 길을 걸으며 그대를 따르마
노동운동의 꽃 등불 김명한 동지여
우리 노동자의 꺼지지 않는 등불이 되어
노동해방 인간해방 평등의 새 세상으로
환히 불 밝히소서

2000년 2월 29일

추모시 2

– 故 유창훈 동지를 보내며

우리는 또 지울 수 없는 죄를 지었습니다
동지를 화인(火印)처럼 가슴에 꽁꽁 싸안고
무덤까지 가져가야 합니다

우리는 꼭 나중에야 후회를 합니다
왜 미리 찾아가지 못했던가
우리는 그러면 안 됐는데

마지막으로 동지를 보았던 그날에
묶인 매듭을 풀었어야 했건만
풀릴 길 없는 매듭이 되고 만 겁니까

언제라도 동지를 만날 수 있을 줄 알았지요
외출할 때면 동네 골목을 지나치며
아주 쉽게 만나리라 생각했지요

리어카에 재활용 옷을 가득 싣고
목에는 수건을 동여 메고
달리듯 재빨리 걸어가다가
눈길 마주치면 반가워서 리어카를 멈추고
동네 가게 앞에 쭈그리고 앉아 음료수를 따주면서
안부를 묻고 투쟁 현황을 알려주던 동지

동지는 항상 투쟁의 선봉장이었습니다
지긋지긋한 자본주의를 때려 부숴야 한다고
언제라도 투쟁이 있는 곳이라면 냉큼 일어나서
달릴 준비가 되어 있었지요

동지는 또한 시인이었습니다
첫사랑의 설렘과 실연의 아픔을 노래할 줄 알았고
투쟁의 고통을 시로 노래하는 멋진 분이었습니다

현장에서 산업재해를 당해 허리를 못 쓰게 된 뒤로
동지는 산재당한 사람의 억울함과 고통을
누구보다 잘 알았기에
평생을 그 일 하면서 살고자 했습니다

매사에 원칙적이고 타협할 줄 몰랐던
황소 같은 사람
우리가 무심했습니다
동지의 죽음은 시대의 죽음
살아서는 못 볼게 너무 많아서
눈감은 채로 영영 세상에 등을 지신 분

얼어버린 이 땅에 당신을 뿌리고
우리는 봄을 기다립니다

동지께 진 빚은 살아가면서
행동으로 갚겠습니다
동지께로 돌아가는 날 부끄럽지 않도록
살겠습니다

당신은 이 시대의 가장 멋진 노동자
투쟁에서 물러섬 없는 혁명 투사
아름다운 우리들의 동지였습니다
당신을 사랑합니다
유창훈 동지여,
편히 가소서

엄동설한 어느 날 자취방에서
외롭게 죽어간 동지를 그리며

2001년 1월 18일

시인의 말

친구가 내 시를 보며 말했다. 서정시는 아니구나. 탄생과 죽음과
현실의 고뇌. 하하하, 맞다. 나는 어쩌다 이토록 고통스러운
시를 쓰게 되었을까? 삶이 고통이라는 것을 증명이라도 하듯 나는
늘 허덕이며 살아간다. 허덕임을 쓴다.

아버지 기일 저녁이었다. 새언니 일찍 저 세상으로 떠난 뒤
사업이 망해버린 오빠 집에서 제사를 지내고 청주 한 병 나눠
음복했다. 잠깐 안 본 사이 훌쩍 커버린 조카들은 할머니랑 장보러
가서 까놓은 밤이 비싸다며 안 깐 밤을 사와서 껍데기를 깎아
놓았다. 두 손자들은 할아버지 살아계실 때 밤 깎으시던 모습을
기억했던가.

내 얼굴은 밤새도록 꿈속을 헤매다 새벽에 깨어나 거울을
들여다보면 미간에 주름이 깊었다.

2017. 12.

교하에서 시하다

박인애

보내주신 시들 천천히 읽었어요. 제목을 훑어보며 각오했어요. 많이 아프고 힘들겠구나. 시를 읽으며 고통스러웠어요. 삶에 내재해 있던 고통을 일깨워 근본부터 흔들어대는 시들... 가족, 친구, 동지, 아이들, 이웃들이 삶의 지난함을 견디며 살아가고, 살다가 죽임을 당하거나 죽음을 택하고, 그래도 살아남은 사람들은 또 살아야 하는, 삶의 고통을 피 냄새나는 날 것으로 써내려간 시들이었어요. '신물 난다'는 삶을 '죽을 똥 살 똥' 시를 싸가며 고행의 길을 가는 시인의 모습, 거북이가 알을 낳듯, 매월 달거리를 하듯 살아가는 모습이 눈물 났어요. 죽어가는 이웃들과 이젠 죽고 싶다는 이웃들과 이미 죽어간 사람들을 보듬어가며 그래도 나는 살고 싶다고, 뜻대로 하시라고 맞서며 대차게 외치는 시인을 만났어요. 아픔은 생채기가 되고 생채기는 옹이가 되고 그 옹이들이 삶의 무늬가 되겠지요. 모든 삶이 시가 되었으니 모든 시들이 살아서 세상에 당당하게 나오기를 빌어요.

– 시월애 정명숙 –

살면서 수 없이 많은 작은 구멍들이 우리 몸에 자리 잡는다. 때론 아픔과 상처의 흔적들이고 때론 살아가는데 필요한 호흡의 숨구멍이기도 하다. 작가는 말한다. 어릴 적 숨통을 죄여온 지난 기억의 낱말들이 작은 구멍을 통해 하나둘씩 기어 나올 때 이제는 웃으며 그 아픈 상처들마저 사랑할 수 있겠노라고.

– 시월애 이재정 –

작은 구멍

박인애 시집

발 행 일 · 2017년 12월 10일
발 행 인 · 박인애
발 행 처 · 구름바다

초판인쇄 · 2017년 12월 10일
2쇄 인쇄 · 2017년 12월 25일

등 록 일 · 2017년 10월 31일
등록번호 · 제406-2017-000145호
주   소 · 파주시 노을빛로 109-1 301호
전   화 · 031-8070-5450, 010-4301-0736
전자우편 · freeinae@icloud.com
디 자 인 · freeinae
인   쇄 · 한국학술정보(주) 북토리

ⓒ박인애
ISBN 979-11-962493-0-4 (03018)

값 10,000원

「이 도서의 국립중앙도서관 출판예정도서목록(CIP)은 서지정보유통지원시스템 홈페이지(http://seoji.nl.go.kr)와
국가자료공동목록시스템(http://www.nl.go.kr/kolisnet)에서 이용하실 수 있습니다.(CIP제어번호: CIP2017032275)」